Pourquoi vivons-nous après la mort ?

Conférence du Dr Richard Steinpach

Éditions du Graal,
Paris
Stiftung Gralsbotschaft, Stuttgart, Allemagne

Titre de l'édition originale allemande:
«Wieso wir nach dem Tode leben»

«Pourquoi vivons-nous après la mort ?», tel est le titre pour le moins étrange de cette conférence. Il laisse en effet supposer une chose qui, pour la plupart des gens, n'est nullement évidente, à savoir que la vie continue après la mort. Il est vrai que beaucoup en sont persuadés, mais leurs opinions à ce sujet diffèrent et, après un examen approfondi, il apparaît qu'il ne s'agit bien souvent que d'un espoir et non d'une conviction fondée sur la connaissance. D'autres, qui veulent montrer que le caractère limité de leur existence ne les effraie pas, déclarent par contre que tout est fini à la mort. Entre ces deux points de vue se trouve finalement le grand nombre de ceux qui, par peur de croire une chose qui n'a pas encore été suffisamment prouvée, considèrent la mort comme une grande inconnue que l'on doit tout simplement accepter, étant donné qu'elle est inévitable et insaisissable.

Mais nous ne devons pas nous en tenir à cette incertitude. La vérité se trouve à notre portée, prête à être saisie, à condition que nous ne nous y fermions pas.

Au cours des dernières années, on a en quelque sorte «redécouvert» la mort. Une science toute particulière étudie ce processus : la thanatologie, mot dérivé du grec «thanatos», qui signifie la mort. Parmi les nombreux chercheurs qui se penchent sur cette question à l'aide de méthodes scientifiques précises, citons avant tout le médecin américain Raymond Moody dont le livre : «La vie après la vie» (Éditions Robert Laffont, Paris) a connu un grand succès. Cela montre clairement que l'on attend une réponse à cette question. Mais jusqu'à quel point les innombrables livres parus au cours des dernières années peuvent-ils donner cette réponse ?

Comme d'autres chercheurs, le docteur Moody a réuni des récits faits par des mourants. Certains d'entre eux émanaient bien souvent de personnes qui avaient été déclarées cliniquement mortes et qui avaient néanmoins pu être rappelées à la vie terrestre. Ce qui importe, ce n'est pas l'aspect médical en lui-même mais plutôt l'incroyable similitude des expériences vécues par ceux qui se trouvaient entre la vie et la mort. Ces personnes n'avaient pas le même niveau d'éducation et elles appartenaient à divers milieux sociaux, elles vivaient à la campagne ou la ville, elles étaient issues de peuples différents, et même d'autres cultures. Elles avaient leurs propres conceptions religieuses, elles souffraient de maladies ou de blessures diverses et étaient traitées différemment sur le plan médical. Toutefois, alors qu'elles se trouvaient au seuil de la mort, elles étaient passées par des stades à peu près identiques. Toutes avaient connu au début un état nouveau que le docteur Moody appelle «décorporation». Les personnes interrogées s'étaient trouvées hors de leur corps. Elles s'étaient vues, ou pour mieux dire elles avaient vu ce corps avec lequel elles ne s'identifiaient plus, allongé sur le lit ou sur les lieux de l'accident, elles avaient vu les efforts faits par ceux qui les entouraient et avaient entendu leurs paroles. Les personnes qui, d'après le docteur Moody, «avaient encore plus profondément pénétré dans le royaume de la mort» avaient eu l'impression d'être entraînées à travers un passage obscur. Elles avaient ensuite aperçu une lumière claire et non éblouissante, et ressenti la proximité d'une entité affectueuse. Elles avaient alors vu leur vie en rétrospective. Leur notion du temps et leur savoir s'étaient modifiés et élargis, si bien qu'elles croyaient en comprendre les vrais rapports.

Je n'ai pas à m'occuper ici des doutes qui s'élevèrent contre le rapport du docteur Moody concernant la vie après la vie.

> *Nous devons savoir comment il est possible que nous continuions à vivre après la mort.*

N'a-t-il pas lui-même suffisamment réfuté les objections des sceptiques ? Il s'agit ici de tout autre chose. Aussi précieux et significatifs que soient les résultats des recherches des thanatologues, ces derniers n'ont cependant réuni que des descriptions d'expériences vécues, sans pour autant expliquer le processus de la mort. Mais pour comprendre la signification de ce tournant si important, nous devons savoir comment il est possible que nous continuions à vivre après la mort.

Les explications qui vont suivre ne figurent dans aucun des ouvrages publiés sur la mort au cours des dernières années. Le but de cet écrit est de combler pareille lacune. Vous pourrez alors comprendre les rapports des scientifiques et leur donner la place qui leur revient. Ces rapports n'ont en eux-mêmes rien d'inquiétant ni de sensationnel. Ce sont des fragments, des enregistrements momentanés d'un événement que vous serez en mesure d'embrasser dans une bien plus grande mesure. Car la mort n'est elle aussi qu'un processus on ne peut plus naturel qui se déroule selon des lois claires, bien établies et, ce qui nous paraît le plus important, facilement vérifiables.

Disons dès à présent que les explications qui suivent sont fondées sur le Message du Graal «Dans la Lumière de la Vérité», une œuvre dont on reparlera. Son titre est pleinement justifié, comme vous pourrez déjà vous en rendre

> *Il serait insensé de vouloir nier qu'il y a aussi des choses qui existent réellement au-delà de nos sens.*

compte par le seul fait que ce qui est dit dans cet ouvrage est en mesure de rendre compréhensible, entre autres, et dans le sens le plus étendu, tous les processus se rapportant à la mort. Je vous invite donc à accueillir tout d'abord sans préjugés ce que je me propose de vous présenter à ce sujet.

Lorsque j'emploie l'expression «sans préjugés», je veux dire que, si vous lisez ou si vous entendez quelque chose qui vous paraît nouveau ou surprenant, vous ne devez pas vous empresser de déclarer : «Ça n'existe pas ! » ou de le comparer avec les conceptions qui étaient les vôtres jusqu'alors. Vous devriez plutôt y réfléchir et examiner ce que vous venez d'apprendre. Vous pouvez et vous devez même l'examiner pour l'appliquer à des faits connus et aux explications qui sont présentées ici.

Finalement, j'aimerais ajouter que nous devrions perdre l'habitude de considérer l'invisible comme étant incompréhensible ou même contre nature. Cette attitude est totalement injustifiée. Nous ne savons que trop bien combien nos sens sont limités. Nous ne pouvons même pas percevoir l'infrarouge, l'ultraviolet et les ultrasons. Sans que nous le remarquions, nous sommes constamment entourés et même traversés par des ondes de toutes sortes. Il serait donc insensé de vouloir nier qu'il y a aussi des choses qui existent réellement au-delà de nos sens. Le seul fait que nous ayons des notions telles que celle de «l'au-delà» montre pourtant que nous sommes parfaitement conscients de l'existence de ces mondes.

Pour mieux comprendre ce qui va suivre, commençons par délimiter ces domaines de façon à les rendre accessibles. Au cours de mes explications, je nommerai «matière dense» ce qui est terrestre, et «matière subtile» ce qui appartient à l'au-delà. Précisons qu'il ne s'agit en l'occurrence que d'une distinction provisoire qui ne tient de prime abord aucun compte des degrés de transition.

La première condition nécessaire à toute investigation ultérieure est que nous sachions clairement ce que nous sommes afin de répondre à la question : Qu'est-ce que l'homme ? Les connaissances des darwinistes, celles des néodarwinistes, des comportementalistes et des évolutionnistes ne sont que des demi-vérités, à la fois justes et fausses, qui ne concernent à vrai dire que le développement de notre corps et de ses fonctions. Mais l'être humain proprement dit n'est pas ce corps. Le croire reviendrait à refuser de distinguer le conducteur de son véhicule ! Et pourtant, il existe bien en nous quelque chose qui est capable d'être conscient de soi et de réfléchir sur soi-même, une «chose» qui, à elle seule, nous distingue de l'animal. Ce «quelque chose» ne ressent pas uniquement la joie et la tristesse, ou l'amour et la haine, mais aussi ce qui est abstrait comme l'art, la beauté et la sublimité. Or, par «ressentir», nous touchons précisément ce qui caractérise l'être humain. Et ce qui caractérise l'être humain est l'esprit ! La voix par laquelle l'esprit se manifeste à nous est l'intuition. L'intuition ne dépend pas des sensations extérieures mais jaillit de façon spontanée du plus profond de notre être.

S'il est vrai que nous avons ainsi trouvé la voie qui nous permet de ressentir notre esprit et d'en faire l'expérience, il me semble indispensable de définir ce concept de façon encore plus précise. Considérez par conséquent ce qui est

> *Mais l'être humain proprement dit n'est pas ce corps. Le croire reviendrait à refuser de distinguer le conducteur de son véhicule !*

dit à ce sujet dans le Message du Graal «Dans la Lumière de la Vérité» :

«L'esprit n'a aucun rapport avec les réparties dites "spirituelles", ni avec l'intellect ; il n'est pas davantage un savoir acquis. C'est donc une erreur de dire que quelqu'un a "de l'esprit" lorsqu'il a beaucoup étudié, lu, observé, et qu'il sait parler de tout cela avec aisance ou qu'il brille par des remarques avisées et des réparties purement intellectuelles.

L'esprit est tout autre chose. Il est d'une essence indépendante. Il est issu du monde avec lequel il est en affinité, un monde différent du plan auquel appartient la Terre, et par conséquent le corps. Le monde spirituel se trouve plus haut, il forme la partie supérieure, la partie la plus légère de la Création...

L'esprit n'a rien à voir avec l'intellect terrestre, mais uniquement avec ce que l'on désigne sous le nom de "qualités de cœur". Être plein d'esprit équivaut donc à être "plein de cœur" et non hautement intellectualisé.» (Conférence «Il était une fois...!»)

Il est affligeant de constater que nous avons à tel point enseveli l'esprit en nous que nous pouvons aisément le confondre avec l'intellect, comme cela se produit malheureusement si souvent. La seule chose dont l'intellect soit capable est à vrai dire de coordonner les expériences et les informations qu'on lui fournit et d'en tirer des conclusions, ce que les ordinateurs peuvent aujourd'hui faire beaucoup mieux que nous. L'intellect n'est en fait qu'un instrument qui est lié au corps et qui doit permettre à l'esprit de se manifester de façon sensée lors de ses activités dans ce monde terrestre.

Notre moi véritable est donc esprit. Il est le seul élément vivant dans ce corps physique qu'il maintient en vie en tant que tel. Mais cet esprit n'a pas été placé dans le corps sans intermédiaire, puisque son genre est par trop différent de celui du corps physique. C'est ainsi que, dans l'ordre des gradations de la Création, l'esprit a des enveloppes plus proches de sa nature, plus fines, plus légères et plus transparentes, et qu'il a également une enveloppe de matière subtile. Or, c'est cette image de l'esprit dans son enveloppe de matière subtile que de nombreuses personnes douées de voyance ont déjà vue : elle correspond à «l'âme», une notion qui, malheureusement, n'a que bien peu de sens pour les êtres humains. «L'âme» n'est donc pas quelque chose d'indépendant, qui existerait à côté de l'esprit ; c'est en réalité l'esprit revêtu de matière subtile.

Un passage du Nouveau Testament montre de façon particulièrement frappante l'existence de ce corps de matière subtile. Après Sa mise au tombeau, Jésus apparut à plusieurs reprises à Marie-Madeleine ainsi qu'à Ses disciples. Il marcha à côté d'eux et ils Lui parlèrent sans toutefois Le reconnaître. Il entra dans des pièces dont les portes étaient fermées, et c'est seulement à table, lorsqu'Il rompit le pain avec eux, qu'ils s'aperçurent qu'il s'agissait de Jésus. Cela montre donc on ne peut plus clairement qu'Il vint à eux sous une forme corporelle bien différente, c'est-à-dire dans Son corps de matière subtile, qu'ils étaient en mesure de voir après les événements des jours précédents qui les avaient profondément bouleversés. S'il en avait été autrement, ils L'auraient immédiatement reconnu. Jésus ne voulait pas seulement leur dire par là qu'Il était ressuscité ; Il voulait leur montrer que la vie continue, non pas après le jour lointain du Jugement dernier mais immédiatement après la mort terrestre.

Ce corps de matière subtile dont il vient d'être question est toutefois de nature par trop différente de celle du corps terrestre. Voilà pourquoi, entre l'âme de matière subtile et le corps terrestre de matière dense, il est indispensable qu'il y ait un corps de transition, le corps astral. En raison de sa constitution, il est déjà très proche du corps terrestre dont il est le prototype direct, autrement dit le modèle. Cette façon de s'exprimer peut paraître déconcertante, mais nous savons aujourd'hui que les plus petits éléments qui constituent notre matière, à savoir : les neutrons, les protons et les électrons, deviennent de moins en moins matériels à mesure que l'on pénètre plus profondément dans leur structure. À présent, réfléchissez à ce qui suit : comme tout ce qui est matériel, notre corps ne se compose lui aussi que de particules élémentaires de ce genre.

Si nous considérons que tout ce qui se présente sous une forme matérielle solidement assemblée résulte de radiations – fait scientifiquement prouvé – et provient de ce quelque chose d'insaisissable qui est à l'origine de l'univers et si, de plus, nous considérons qu'un processus d'échanges est constamment à l'œuvre, transformant le rayonnement en particules et les particules en rayonnement, cela montre clairement que l'ensemble de notre monde terrestre se forme pour ainsi dire du haut vers le bas et qu'il est tout simplement le résultat d'un processus ininterrompu de densification. L'existence de ces enveloppes plus fines apparaît comme la suite logique de la conception que nous avons de notre monde physique. Que cette notion du monde puisse être élargie par rapport aux limites rigides des conceptions actuelles devient évident du seul fait qu'il y a encore quelques décennies les connaissances concernant la théorie de la relativité, la physique des quanta, la biologie moléculaire ou la radioastronomie auraient été tournées en ridicule comme autant d'élucubrations et qualifiées d'occultisme ou de superstition.

Retenons donc ces trois notions que nous allons développer dans ce qui va suivre :

Il y a le corps physique de matière dense que l'on désigne habituellement sous le terme d'«enveloppe mortelle», puis le corps astral qui lui est très proche dans sa constitution, et enfin l'esprit dans son enveloppe de matière subtile, que l'on appelle l'âme. Cette dernière est reliée au corps astral – et par là même au corps physique – par le «cordon d'argent» qui a bien souvent été vu par des personnes douées de voyance. C'est en quelque sorte un cordon ombilical de matière subtile, qui aboutit effectivement au même endroit que le cordon ombilical qui nous reliait au corps de notre mère, dans la région du plexus solaire. Si l'on considère les choses objectivement, ce «cordon d'argent» correspond sur le plan de matière subtile au cordon ombilical que nous connaissons. Il permet à l'esprit d'exercer son activité sur le corps terrestre.

À présent, vous allez probablement demander où se trouvent ces différentes enveloppes. La réponse est simple : elles se trouvent toutes en nous. Toutefois, en raison de leur nature différente, elles ne peuvent fusionner mais seulement s'unir. Comme les parties extensibles d'un télescope, elles sont emboîtées les unes dans les autres et restent maintenues dans cette position ; elles sont pour ainsi dire verrouillées par la puissante force qui maintient tout dans la Création, depuis ce qu'il y a de plus grand jusqu'à ce qu'il y a de plus petit. Cette force est la radiation. Grâce à la physique, nous savons aujourd'hui que tout irradie, que l'apparente consistance de notre matière ne repose sur rien d'autre que sur cette radiation qui relie entre elles de façon magnétique les particules élémentaires. À cet égard, j'aimerais vous rappeler un proverbe ancien bien connu : «Manger et boire maintiennent ensemble le corps et l'âme». La plupart du temps, on considère cela comme une justification des plaisirs de la table. Et pourtant, quelle sagesse, quelle connaissance des véritables rapports ce proverbe ne renferme-t-il pas ! Il y est clairement exprimé que le corps et l'âme sont deux choses distinctes, qui sont tout simplement maintenues ensemble et qui ont besoin à cet effet d'une constitution bien particulière du corps terrestre, auquel une nourriture matérielle est indispensable. Si le corps ne reçoit pas cette nourriture ou s'il tombe malade, il s'affaiblit. Cela signifie obligatoirement que sa force de rayonnement, son irradiation, devient plus faible.

Nous sommes ainsi arrivés au point décisif. Je vais à présent vous donner la clé qui vous permettra de comprendre l'événement que nous étudions ici. Une fois de plus, je le ferai avec des mots empruntés au Message du Graal «Dans la Lumière de la Vérité».

«C'est la raison pour laquelle l'âme est obligée de se séparer d'un corps détruit de façon violente, ébranlé par la maladie ou affaibli par l'âge. Cette séparation a lieu au moment où ce corps, de par son changement d'état, n'est plus à même de produire le degré d'irradiation qui déclenche la force d'attraction magnétique nécessaire pour contribuer à la solide jonction de l'âme et du corps !

La mort terrestre en résulte ; en d'autres termes, le corps de matière dense se détache de l'enveloppe de matière subtile de l'esprit et retombe, d'où la séparation. Ce processus s'accomplit, conformément aux lois établies, entre deux genres qui se joignent uniquement à un degré de chaleur mutuel bien précis en raison de l'irradiation engendrée à ce moment-là ; toutefois, ces genres ne peuvent jamais fusionner, et ils se détachent à nouveau dès que l'un d'entre eux n'est plus en état de remplir les conditions requises.» (Conférence «Le nom»)

L'âme et le corps doivent donc tous deux contribuer à ce lien de radiations. En règle générale, c'est le corps terrestre qui, parce qu'il s'use, est le premier à perdre son irradiation pour l'une des raisons citées précédemment. Mais la liaison peut aussi être rompue parce que l'irradiation de l'âme n'est plus orientée vers le corps physique avec la force requise. Tel est le cas lorsque, sans souffrir d'une maladie qu'il est possible de diagnostiquer, quelqu'un décède, tout simplement parce qu'il n'a plus la volonté de vivre. Mais, là encore, il y a évidemment des stades intermédiaires. Si quelqu'un ne se sent pas bien sur le plan physique ou psychique, n'a-t-on pas coutume de dire : *«Il n'est plus lui-même»* ou : *«Il n'est pas tout à fait là»* ? Ces expressions indiquent clairement qu'un relâchement se produit dans la cohésion nécessaire au maintien de notre force intégrale. C'est ainsi que nous pouvons également lire dans l'œuvre «Dans la Lumière de la Vérité» :

«Même lorsque le corps physique dort, un certain relâchement se produit dans la solidité de la jonction de l'âme avec le corps parce que ce dernier émet pendant le sommeil une irradiation de nature différente, qui ne retient pas aussi fermement que celle qui est nécessaire à une solide jonction. Puisque cette irradiation est néanmoins toujours

présente, il ne se produit qu'un relâchement, *et non une séparation. Ce relâchement disparaît dès le réveil.»* (Conférence «Le nom»)

Cette référence au sommeil est un pont qui facilite notre compréhension. Ne s'agit-il pas là d'une expérience que chacun de nous peut faire toutes les nuits ? On a souvent appelé le sommeil «le petit frère de la mort». Serait-ce simplement parce que l'être humain est soustrait à la vie active quand il dort, ou parce qu'on avait tout de même conscience d'une cause identique en rapport avec les lois naturelles ?

Bien que l'être humain passe, comme on le sait, le tiers de sa vie à dormir, la science n'a commencé à faire des recherches sur le sommeil que depuis quelques décennies. Les résultats de ces recherches sont malheureusement encore trop peu connus du public. J'aimerais par conséquent vous exposer certaines choses à ce sujet, car cela nous permettra déjà de reconnaître la justesse de ce qui vient d'être dit.

Nous savons que se déroulent en permanence dans notre cerveau des processus microélectriques dont les effets sont mesurables en tant qu'ondes cérébrales grâce à l'électro-encéphalogramme. À l'état de veille, ces ondes cérébrales présentent une fréquence qui va jusqu'à 30 oscillations par seconde. Chez les dormeurs en cours d'endormissement, elle descend à une demi-oscillation par seconde. Les battements du cœur, la respiration, la tension artérielle et la température du corps diminuent en même temps. Le métabolisme du corps est uniquement maintenu «en veilleuse». Les chercheurs ont ainsi constaté les signes extérieurs d'un affaiblissement de toutes les fonctions vitales, ce qui a également pour conséquence toute naturelle un affaiblissement de l'irradiation du corps qui dépend de ces fonctions vitales. Cela ne fait que confirmer ce que nous avons dit précédemment, puisque la diminution de la radiation du corps permet le relâchement de l'âme. Avant d'atteindre le sommeil profond, certains dormeurs ont même l'impression de tomber, et ils sursautent. C'est l'instant où l'âme échappe à la liaison de la radiation solidement établie jusque-là.

Ce n'est qu'une fois que le sommeil profond est atteint que commence la phase du rêve si riche en expériences. Comme on l'a constaté lors des recherches sur le sommeil, cette phase ne peut pratiquement pas être atteinte si l'on est debout ou assis, puisque le corps a besoin d'être allongé pour être entièrement détendu. Les réflexes musculaires et ceux des tendons ont maintenant cessé, si bien que de temps à autre le menton va jusqu'à s'affaisser et que la personne ronfle. Le corps repose donc là, libre de toute tension, tel un ballon dégonflé. Que nous faut-il de plus pour prouver que l'élément qui soutient et anime fait défaut, lui qui est de toute évidence d'une autre nature que le corps terrestre ?

Toutefois, c'est lorsque le corps est ainsi relâché que nous rêvons. Les études sur le sommeil ont montré que tout le monde rêve chaque nuit. Il serait certes facile d'expliquer pourquoi nous ne nous souvenons qu'occasionnellement de nos rêves, mais cela nous éloignerait par trop du sujet. On peut entre autres constater qu'une personne rêve lorsque, derrière ses paupières closes, ses yeux se meuvent en un va-et-vient extrêmement rapide. Ce mouvement des yeux – qui est mesurable – est tellement caractéristique que l'on a même donné un nom à cette phase du sommeil : le «sommeil REM», qui est l'abréviation de «rapid eye movements» (mouvements rapides des yeux). Si l'on réveillait les dormeurs durant cette phase, ils confirmaient qu'ils venaient de rêver de façon très vivante. Les mouvements des yeux derrière leurs paupières closes correspondaient parfois à la teneur du rêve : si quelqu'un rêvait par exemple qu'il grimpait à une échelle, ses yeux étaient tournés vers le haut ; s'il rêvait qu'il ramassait quelque chose à terre, il regardait vers le bas. Il n'y avait pourtant rien à voir à travers les paupières fermées du corps physique ! C'est ainsi que les recherches nous fournissent déjà la preuve que notre moi est autre chose que le corps, et que ce moi – l'esprit – est capable de voir et de faire des expériences. Les yeux du corps physique suivent alors ces impressions pour la simple raison que le lien entre le corps et l'âme n'est pas encore coupé mais seulement relâché pendant le sommeil. Les mouvements oculaires plus rapides et plus saccadés qu'à l'état de veille laissent supposer que l'esprit vit dans un monde beaucoup plus animé, que l'œil terrestre plus lent a du mal à suivre.

Nous trouvons donc dès à présent la confirmation que la modification de l'irradiation nous donne accès à un nouveau champ d'expériences. Pareille modification facilite le relâchement de l'âme, et l'esprit qui habite cette âme vit alors dans un monde de l'au-delà une expérience que nous qualifions de rêve.

S'il est encore nécessaire de souligner que l'irradiation est décisive en ce qui concerne l'union de l'âme et du corps, on peut en trouver la confirmation dans ce qui suit : les recherches sur le sommeil ont montré que la phase du sommeil REM – cette phase durant laquelle le lien entre l'âme et le corps s'est déjà relâché – est plus rapidement atteinte dans une pièce non chauffée. Cela est tout simplement dû au fait que la température plus basse de la pièce conduit plus vite à

18

un abaissement de la température du corps, et par conséquent à une diminution plus rapide de son irradiation qui, comme nous venons de le voir, dépend d'un certain degré de chaleur. Finalement, nous connaissons tous aussi cette phase entre le rêve et le réveil, durant laquelle une pensée consciente commence à vrai dire à se manifester sans que nous soyons encore en mesure de mouvoir notre corps. Nous rappelons d'abord notre «âme» à nous, et tant que le corps n'a pas encore une irradiation assez forte, l'âme ne peut parvenir à le maîtriser entièrement. C'est un peu comme si l'embrayage d'un véhicule patinait.

Après avoir parlé du sommeil, tournons-nous à présent vers la mort. D'après la science, quand intervient-elle ? On pense aujourd'hui que la mort du cerveau en est le signe déterminant. On entend par là l'arrêt des ondes cérébrales sur l'encéphalogramme. Cela concorde parfaitement avec ce que les recherches sur le sommeil ont constaté et avec ce que nous venons d'apprendre au sujet de l'union magnétique du corps et de l'âme qui résulte d'un phénomène de radiation. Le ralentissement des ondes cérébrales jusqu'à ce que soit atteint le sommeil profond a conduit au relâchement du lien avec l'âme. Pour la médecine, un encéphalogramme plat équivaut à la mort. Mais que sont les ondes cérébrales, si ce n'est une vibration mesurable propre au corps ? Comme toutes les vibrations vivantes, elles sont la manifestation d'une radiation, puisque toute radiation se manifeste en tant que vibration et qu'elle est vibration. S'il n'est plus possible de mesurer cette vibration, pour la médecine, cela signifie la mort. Vous voyez donc que la science constate de façon précise ce qu'il en est, mais elle ne voit que le fait, sans reconnaître ce qu'il signifie à proprement parler.

> **Comment est-il possible que des personnes «cliniquement mortes» se réveillent et reviennent à la vie ?**

Cependant, comme on peut déjà le constater quand le sommeil profond est progressivement atteint, la diminution de la radiation du corps ne se produit pas d'un seul coup. Si l'on fait abstraction des cas où le corps est détruit, voire déchiqueté de façon violente, le processus se déroule d'une façon régulière, sans heurt, comme si l'on réduisait lentement et progressivement le courant d'alimentation d'un électro-aimant avant de le couper définitivement. Voilà ce qui explique qu'il soit si difficile de fixer avec exactitude le moment de la mort. On pensait autrefois que la mort avait lieu lorsque la respiration s'arrêtait. On crut ensuite que l'on mourait lorsque le cœur cessait de battre. On admet à présent que la mort intervient lorsque les ondes cérébrales ne se manifestent plus. Mais à quel moment se produit effectivement la mort ? Comment est-il possible que des personnes «cliniquement mortes» se réveillent et reviennent à la vie ?

Jetons donc maintenant un rapide coup d'œil dans la direction opposée. Que se passe-t-il lors de l'entrée dans la vie terrestre ? Là non plus, la médecine ne peut dire clairement quand commence la vie humaine. En particulier en ce qui concerne la question de l'interruption de grossesse, on a soutenu les opinions les plus diverses. Dans ce cas également, la raison en est que l'attraction de l'âme par l'irradiation renforcée du corps terrestre en cours de développement se fait progressivement jusqu'à ce qu'une jonction de nature magnétique se produise de façon durable. Les premiers mouvements de l'enfant dans le sein maternel en sont le signe infaillible. Ce n'est qu'alors que l'âme a pleinement pris possession du corps et qu'elle peut le mouvoir.

Ainsi, la «mort clinique» n'est que le moment où la radiation très réduite du corps ne permet plus à l'âme de maintenir les fonctions corporelles avec une force encore mesurable. Mais de même que, lors de l'entrée dans la vie, la liaison avec l'âme qui s'approche s'était progressivement renforcée, de même, au moment que l'on considère comme étant celui de la mort, le détachement de l'âme n'est pas entièrement terminé.

Nous nous sommes entretenus jusqu'ici de ce qui conduit à la mort et nous avons dit que celle-ci survient quand la liaison des radiations est devenue trop faible. Nous allons à présent nous pencher sur ce qui se passe à proprement parler au moment de la mort. Je voudrais, cette fois encore, faire appel à ce que est dit dans le Message du Graal «Dans la Lumière de la Vérité» :

«*Au moment de la séparation de l'âme, celle-ci, en tant que partie mobile, entraîne le corps astral hors du corps physique. Pour parler de façon imagée : en se dégageant et en s'éloignant, l'âme entraîne le corps astral hors du corps physique. Cela en a l'apparence, mais elle ne fait en réalité que l'en écarter étant donné qu'une fusion n'eut jamais lieu mais seulement un coulissement de ces deux parties l'une dans l'autre, à l'instar des tubes d'un télescope.*

Ce faisant, l'âme n'entraîne pas ce corps astral bien loin, car ce dernier est non seulement ancré en elle mais également dans le corps physique. De plus, l'âme – qui est à l'origine du mouvement proprement dit – veut elle aussi se dégager du corps astral et tend donc à s'éloigner de lui.

C'est ainsi qu'une fois que l'âme a quitté le corps terrestre, le corps astral demeure toujours assez proche de ce dernier.

Plus l'âme s'éloigne par la suite, plus le corps astral s'affaiblit, et la séparation toujours plus accentuée de l'âme entraîne finalement la dissolution et la désintégration du corps astral. Celui-ci entraîne à son tour directement la décomposition du corps physique, tout comme il en avait influencé la formation. Tel est, conformément aux lois de la Création, le processus normal.» (Conférence «Dans l'atelier de matière dense des êtres essentiels»)

En raison de son importance, permettez-moi de revenir sur cette explication. C'est parce que la radiation du corps est devenue trop faible que la liaison entre les enveloppes imbriquées les unes dans les autres se trouve rompue : elles sont en quelque sorte déverrouillées. Comme un ballon qui n'est plus solidement maintenu, l'âme, qui est la partie la plus légère, s'élève alors, et avec elle s'éloigne aussi l'esprit contenu dans cette enveloppe de matière subtile. Étant l'unique élément vivant en l'homme, lui seul pouvait maintenir la structure du corps, tant sur le plan astral que sur le plan terrestre de matière dense. Dès que la liaison avec l'esprit est rompue, les formes composant cette structure doivent se décomposer.

Dans le passage que je viens de citer, il s'agissait du processus normal qui est conforme aux lois de la Création. En fait, le détachement de l'âme ne s'accomplit pas toujours de façon aussi simple. J'aimerais rappeler ici que l'âme n'est pas seulement retenue de part et d'autre par l'irradiation de ses enveloppes plus denses, mais qu'elle possède en plus, par l'intermédiaire du «cordon d'argent» déjà cité, une liaison en ligne directe avec le corps astral, et par là même avec le corps physique. Ce qui est décisif pour permettre à l'âme non seulement de s'extraire du corps physique mais encore de s'en séparer totalement, c'est l'état du corps de matière subtile de cette âme et celui de son cordon de liaison qui est de genre identique ; or, cet état dépend entièrement de la nature spirituelle de chacun.

Si, à cause d'un vouloir fortement orienté vers ce qui est de nature terrestre, quelqu'un n'a pas voulu entendre parler de la vie après la mort, ni croire en l'existence d'un monde de matière subtile dans l'au-delà, il se trouve, en raison de sa propre attitude, solidement retenu par le cordon de liaison dont il ne pourra que difficilement se séparer. La séparation peut alors durer plusieurs jours au cours desquels, par suite de la densité du cordon de liaison, il doit encore ressentir ce qui arrive à son corps terrestre, si bien que, par exemple, il ne reste pas insensible à l'incinération.

Par contre, chez un esprit noble qui aspire à la Lumière et qui porte en lui la conviction d'une vie après la mort, le cordon de liaison peut se relâcher très vite, au point qu'il ne transmet plus aucune souffrance et que même les dernières douleurs physiques sont épargnées au mourant.

Vous pouvez donc constater combien il est important d'avoir connaissance de ces choses. Votre attitude à l'égard de la mort est décisive, puisque c'est elle qui détermine s'il sera facile ou difficile à votre âme de se détacher un jour de votre corps.

De plus, cela prouve combien la méconnaissance du processus de la mort peut causer de désastres. Des autopsies sont effectuées sans scrupules dans les hôpitaux où les présumés cadavres sont disséqués. La situation est encore plus grave depuis que le corps médical a procédé avec succès à des transplantations d'organes et qu'il considère le mourant comme une sorte de magasin de pièces de rechange. Maintes institutions publiques ainsi que de nombreuses personnes

> *Le défunt n'est en aucun cas déjà «vraiment mort», sinon l'organe ne serait plus utilisable.*

cautionnent ce procédé et considèrent qu'il est du devoir de tout être humain d'autoriser le prélèvement d'organes sur le corps des défunts. Aucune objection n'est à faire concernant le mobile généreux qui pousse un donateur à prendre semblables dispositions même si, vu de plus haut, ce don n'est guère utile au receveur. Mais tout donneur devrait savoir parfaitement ce que cela entraîne pour lui. Au moment de l'ablation d'un organe qui, comme chacun sait, doit avoir lieu immédiatement après la mort présumée pour qu'il soit encore utilisable, le défunt n'est en aucun cas déjà «vraiment mort», sinon l'organe ne serait plus utilisable.

Quoi qu'il en soit, le cordon de liaison n'est à ce moment-là pas encore complètement détaché. Lorsque la densité de ce cordon, qui dépend du genre du donneur, reste capable de transmettre la douleur, cette intervention sera encore ressentie de façon très sensible. C'est donc à juste titre que certains rites, plus particulièrement dans les peuplades primitives, prévoient un délai minimum entre la mort et l'enterrement, ou encore entre la mort et l'incinération.

Mais le fait que le cordon de liaison continue d'exister pendant une période plus ou moins longue explique aussi la raison pour laquelle les personnes interrogées par les thanatologues, dont certaines avaient été considérées comme «cliniquement mortes», purent revenir à la vie. Dans tous ces cas, le cordon de liaison n'était tout simplement pas encore détaché.

Ce fait, qui est parfaitement naturel, explique aussi le prétendu miracle de la résurrection des morts, celle de Lazare entre autres. Dans cette Création, rien ne saurait se produire qui ne corresponde aux lois. C'est ainsi que ne peut revenir à la vie terrestre que celui pour lequel la liaison entre l'esprit et le corps physique subsiste encore et rend par conséquent possible la réintégration de l'âme dans le corps. En pareil cas, ce qui tient du miracle réside dans la force qui nous est incompréhensible et qui est à l'origine du retour de l'âme dans le corps. Dans les exemples rapportés par le docteur Moody, la force venait de l'au-delà ; dans le cas de Lazare, grâce à l'intervention de Jésus, elle était même de nature divine.

C'est précisément dans ce que rapporte la Bible au sujet de la résurrection des morts par l'intermédiaire de Jésus que l'on peut comprendre que l'âme s'éloigne progressivement du corps et qu'une énergie toujours plus grande est nécessaire pour renforcer la liaison des radiations. En effet, pour la fille de Jaïre qui vient de décéder, Jésus dit simplement : «Enfant, lève-toi !» (Luc 8,54). Pour le jeune homme de Naïn, que l'on porte déjà en terre, Il se fait plus pressant et dit : «Jeune homme, *je te le dis*, lève-toi !» (Luc 7,14). Finalement, dans le cas de Lazare, qui depuis quatre jours reposait dans la tombe, Jésus *prie* avant de crier *d'une voix forte* : «Lazare, sors !» (Jean 11,41-43)

En rapport avec ce qui précède, je dois encore attirer l'attention sur quelque chose d'extrêmement important, que nous devons tous savoir et prendre en considération. Il arrive très souvent que de proches parents manifestent bruyamment leur douleur dans la chambre mortuaire et qu'ils veuillent pousser le mourant à dire encore quelque chose. Aussi compréhensible que cela puisse être de leur point de vue, en agissant ainsi, ils manquent totalement d'égards envers le mourant, puisqu'ils suscitent en lui le désir de pouvoir encore se faire comprendre. Or, il ne peut se faire comprendre sur cette Terre que par l'intermédiaire de son corps physique de

> **La mort n'est rien d'autre qu'une naissance qui nous fait retourner dans le monde de l'au-delà d'où nous sommes venus.**

matière dense dont il est justement sur le point de se séparer. Son désir agit à l'encontre de ce processus, étant donné qu'il veut se relier au plan matériel. Cela redonne une certaine densité au cordon de liaison qui devient à nouveau apte à transmettre la douleur. Le désir du mourant le lie solidement à son corps physique. Étant donné que sa volonté s'est interposée, il en résulte un prolongement imprévu du processus de la mort qui se manifeste parfois par une agonie de plusieurs jours. Voilà pourquoi il doit régner dans la chambre d'un mourant un calme absolu et une gravité digne de ce moment important entre tous.

Je crois que celui qui réfléchit sérieusement et qui a compris ce qui se passe au moment de la mort ne peut en nier la logique. La mort n'est rien d'autre qu'une naissance qui nous fait retourner dans le monde de l'au-delà d'où nous sommes venus. Efforçons-nous donc, précisément dans le cas d'un être aimé, de ne pas lui rendre ce pas plus difficile par notre douleur, qui n'est au fond que de l'égoïsme.

Et maintenant que nous avons connaissance de ce qui précède, il nous est facile de comprendre les expériences qu'ont vécues les personnes interrogées par le docteur Moody. Après nous être d'abord occupés du sommeil, nous pouvons procéder à une classification de ces descriptions qui appartiennent la plupart du temps au domaine qui se trouve entre le sommeil et la mort. C'est ainsi que des personnes très malades et entre la vie et la mort ont vu des parents décédés ou des aides de l'au-delà avec lesquels elles ont parlé. On dispose aussi de descriptions faites par celles qui étaient déjà hors de leur corps, certaines étant même considérées comme «cliniquement mortes». Mais aucune d'entre elles n'était réellement morte, ce qui revient à dire que leur cordon de liaison n'était pas encore détaché. C'est précisément de cette façon que ces descriptions, en tant qu'étapes sur le chemin de la vie à la mort, complètent l'image du déroulement sans heurt dont j'ai déjà parlé. En effet, les images nocturnes des rêves – qui sont encore super-posées en partie aux impressions diurnes – les visions de l'au-delà qui sont celles des moribonds ainsi que la sortie du corps terrestre des présumés décédés – avec les expériences qui s'y rattachent et qui vont toujours plus loin – et finale-ment la mort, semblent toutes aller dans la même direction.

C'est pourquoi Raymond Moody est parvenu à juste titre à la constatation suivante : *«En général, les personnes qui étaient "mortes" avaient à communiquer des expériences plus complètes et plus durables que celles que la mort n'avait fait qu'effleurer, et celles qui étaient "mortes" durant un laps de temps plus long étaient allées plus loin que celles qui n'étaient "mortes" que pendant peu de temps.»*

Cela revient tout simplement à dire que plus la liaison de l'âme est relâchée, et donc plus l'âme est éloignée du corps terrestre, plus elle ressent d'impressions en provenance de l'au-delà.

C'est ainsi que le fait de voir des êtres invisibles à d'autres – c'est-à-dire ce que voient les moribonds – est encore très proche des expériences de l'au-delà faites par ceux qui rêvent. La radiation du corps de ceux qui sont gravement malades est à vrai dire tellement atténuée que l'âme est déjà davantage en mesure de se libérer que pendant les rêves ; elle voit par conséquent déjà plus clairement et plus distinc-

> *L'expérience suivante est surprenante : c'est celle de la «décorporation», qui consiste à ne plus être dans son corps.*

tement le monde de l'au-delà qui n'est plus mélangé à des impressions diurnes enregistrées par le cerveau, comme c'est fréquemment le cas lorsque nous rêvons.

L'expérience suivante est surprenante : c'est celle de la «décorporation», qui consiste à ne plus être dans son corps. En pareil cas, l'âme n'est plus suffisamment retenue par la radiation du corps ; elle a déjà attiré le corps astral hors du corps physique, et l'être humain proprement dit – l'esprit – regarde alors l'enveloppe terrestre au moyen de ce corps astral. Dans cet état, les personnes pouvaient voir ce qui se passait autour de leur corps physique, elles entendaient les paroles de ceux qui les entouraient et étaient capables de capter leurs pensées avant même qu'elles ne soient exprimées. Mais comment cela est-il possible ?

Il s'agit, là encore, d'une chose parfaitement naturelle. Tout comme notre corps terrestre de matière dense possède les organes de matière dense de la vue et de l'ouïe, qui correspondent à sa nature, le corps astral et le corps de matière subtile sont équipés de moyens similaires qui correspondent à leur genre. Cependant, c'est toujours notre esprit qui, par l'intermédiaire des organes des sens de l'enveloppe la plus extérieure, voit, entend ou ressent à chaque fois, mais jamais en fait l'œil ou l'oreille. C'est donc l'esprit qui se trouve dans le corps astral qui perçoit au moyen des organes sensoriels de ce dernier.

Il nous faut maintenant comprendre parfaitement la nature proprement dite des mondes de l'au-delà qui commencent par le plan astral, et saisir ce qui les distingue de notre monde.

J'ai déjà dit que notre monde terrestre n'est qu'une densi-fication issue de radiations. Or, densification signifie perte en légèreté, en mobilité, ce qui revient à être plus lourd et plus lent. Nous pouvons constater le processus inverse pour toute substance terrestre qui entre en fusion, s'évapore et se transforme en gaz. Sa dématérialisation, avec la légèreté croissante qui y est liée, repose sur un mouvement de plus en plus rapide au sein de ses atomes. En d'autres termes, des formes plus légères et plus affinées ne sont donc en fin de compte que des états vibratoires plus rapides. Imaginez à présent un récepteur radio. Il comporte plusieurs gammes d'ondes : ondes moyennes, ondes courtes et ultra-courtes. Si l'on passe de l'une à l'autre gamme, l'appareil est alors capa-ble de capter des fréquences de plus en plus élevées, donc des vibrations de plus en plus rapides qui ne lui étaient pas accessibles auparavant. La raison en est qu'il est maintenant réglé, si bien que sa sensibilité est de même nature que ces vibrations et qu'il peut par conséquent les capter. D'une façon analogue, nous avons en nous, sous la forme du corps physique, du corps astral et du corps amimique, des organes de réception adaptés à chaque gamme d'ondes. La «décor-poration» a tout d'abord pour conséquence un «branche-ment» sur la gamme de fréquences plus élevée qui lui fait immédiatement suite. Mais la séparation n'est pas ici aussi nette que dans le cas d'un récepteur radio, et les transitions sont à peine perceptibles.

Puisque le plan astral est encore très proche du plan ter-restre, le mourant, qui commence progressivement à passer sur la «gamme de fréquences» de l'autre monde (restons-en à cette expression pour la clarté de ce qui va suivre) peut, dans un premier temps, embrasser encore les deux côtés dans ses perceptions. Il peut par conséquent percevoir les pensées dont les vibrations se trouvent sur le plan astral peu avant qu'elles ne se forment – c'est-à-dire lorsqu'elles se sont tellement densifiées qu'elles sont sur le point d'être exprimées – de même qu'il peut encore voir et entendre ce qui est d'ordre terrestre.

Cependant, en ce qui le concerne, il n'est plus en mesure de se manifester à son entourage. Si vous avez bien suivi les explications qui ont été données jusqu'ici, il doit être clair pour vous qu'il ne saurait absolument pas en être autrement. L'instrument destiné à la communication terrestre est le corps physique dont le mourant est déjà détaché à ce moment-là et qu'il ne peut plus mouvoir à ce stade. Même l'enveloppe du corps astral est généralement invisible à nos yeux de matière dense, si bien que les mots que forme le mourant restent dans un domaine vibratoire auquel nos organes sont aussi insensibles qu'aux ondes de radio et de télévision qui nous entourent en permanence. Notre corps terrestre ne réagit pas davantage lorsqu'il est touché par le corps astral ou à plus forte raison par le corps de matière subtile de la personne décédée.

Le fait de ne plus être vu ni entendu constitue pour le trépassé qui ignore tout de ce processus une expérience on ne peut plus douloureuse. Il voit l'affliction de ses proches et aimerait leur crier : «Mais qu'avez-vous donc ? Je vis encore ! » Il voit aussi les médecins manipuler son corps et voudrait les chasser, mais personne ne fait attention à lui. Celui qui est ignorant en la matière sent sur ce plan intermédiaire qu'il est bel et bien vivant, même s'il est repoussé par tout ceux qui vivent. Se sentir ainsi abandonné est pour lui une expérience terrifiante.

30

Puissiez-vous dès lors reconnaître combien il est absurde d'avoir rejeté tout ce qui se rapporte à la mort comme si justement cet événement inéluctable de notre vie terrestre ne nous concernait pas !

Même à présent, alors que l'on est enfin prêt à renverser les tabous, on reste accroché à la frontière de ce que l'on croit pouvoir encore démontrer «scientifiquement». Et pourtant, ce qui importe, c'est de ne pas hésiter à éclairer les hommes sur ce qui se passe au moment de la mort et après la mort, parce que tout cela est indissociable de la grande unité de notre existence.

Tous autant que nous sommes, nous devrons un jour franchir ce seuil. N'est-il pas préférable de le faire en pleine connaissance de cause plutôt que de nous trouver précipités dans l'inconnu ?

Mais semblable connaissance n'est pas seulement in-dispensable pour cette heure qui survient pour chacun de nous, elle l'est aussi auparavant. Prenons le cas de ceux qui, lors d'un enterrement, suivent un cercueil. Combien peu de personnes soi-disant en deuil entourent le disparu de pensées affectueuses ! Que de méchancetés et de paroles sans impor-tance sont prononcées dans un cortège funèbre ! Si ces gens savaient que le défunt est peut-être encore proche et qu'il peut les entendre, ils se conduiraient certainement autrement.

Revenons maintenant au rapport du docteur Moody sur la vie après la vie. Nombre de personnes interrogées par lui avaient dépassé le stade de la «décorporation». Dans la me-sure où «elles avaient pénétré plus profondément dans le royaume de la mort», elles firent une expérience bien particu-lière : elles eurent l'impression de glisser à travers une vallée étroite et sombre, un conduit obscur, un tunnel. Aussi difficile qu'il soit de traduire à l'aide de mots terrestres une expérience vécue dans l'au-delà, les personnes en question en parlèrent toutes de façon concordante et caractéristique. Elles avaient été «tirées» hors de la vie terrestre et, à leur retour, elles avaient réintégré leur corps. À ce stade, nous en sommes déjà à la phase suivante, c'est-à-dire celle où l'âme de matière subtile tend à s'éloigner du corps astral, ce qui équivaut pour elle à être «tirée» hors de ce dernier. En ces instants de transition qui correspondent à un mouvement d'éloignement, l'esprit n'est plus en mesure de voir avec les yeux de son corps physique, ni même avec ceux de son corps astral ; de plus, il ne peut pas encore voir avec les yeux de son corps de matière subtile qui, lui, est sur le point d'être libéré. Il a donc passagèrement l'impression de se trouver dans l'obscurité. C'est comme si, dans un ascenseur, on était entre deux étages. En pareil cas, on ne peut pas non plus voir à l'extérieur, il faut attendre pour cela d'avoir atteint l'étage suivant.

Le fait que «l'étage» suivant, où l'âme arrive alors, est effectivement un monde qui vibre de façon plus rapide se trouve souligné par une expérience d'ordre acoustique que les personnes interrogées ont vécue lorsqu'elles ont été «tirées» hors de leur corps. Elles ont entendu un bruit qu'elles ont décrit comme étant semblable au son d'une grosse cloche, à un mugissement, à un grondement ou à une détonation. Après cela, elles se sont soudain trouvées dans la clarté d'un monde nouveau. Ce qui était terrestre avait disparu pour elles. Or, l'entrée de l'âme dans sa nouvelle forme d'existence équivaut pour elle à «franchir le mur du son». Elle passe dans un monde aux vibrations plus rapides.

Cette vibration plus rapide a entre autres pour consé-quence une modification de la notion de temps. Nous voyons une fois de plus ici la relation fondamentale entre le rêve et la mort. Déjà en rêve, la plénitude de ce qui est vécu ne correspond que rarement au temps terrestre écoulé, et nous croyons avoir rêvé beaucoup plus longtemps. En allant plus loin à cet égard, une des personnes interrogées par le docteur Moody résuma ainsi l'expérience qu'elle avait faite dans l'au-delà : *«Dès que l'on s'est détaché du corps terrestre, tout paraît s'accélérer !»*

Cela aussi est l'évidence même ; il ne pourrait absolument pas en être autrement. Par suite de son propre mouvement, qui est plus rapide, le corps amimique de matière subtile est plus léger et donc plus perméable, ce qui permet de faire des expériences à un niveau plus élevé. En effet, à travers cette enveloppe moins compacte, tout ce qui se produit agit sur l'esprit de façon beaucoup plus directe. Dans le même laps de temps, l'esprit est en mesure de saisir beaucoup plus de choses, c'est-à-dire de vivre davantage d'expériences que nous, parce que tout ce qui arrive peut le toucher plus directement. Au fond, il s'agit ici d'une loi que nous pouvons aussi observer sur le plan terrestre. Plus le courant avec lequel nous alimentons une ligne présente d'ondulations, plus grand est le nombre de conversations qu'il nous est possible de transmettre simultanément. En photographie, plus il y a de lumière, plus la surface sensible peut capter de photons. Le rayon laser est à cet égard l'exemple le plus précis. L'adage, en apparence énigmatique, selon lequel «mille ans seraient comme un jour» trouve une explication aisément compréhensible et fondée sur les lois de la nature dans le fait que l'on peut capter davantage de choses lorsque le mouvement s'accélère.

La notion différente du temps dans le monde de l'au-delà

nous montre très clairement que notre notion du temps est erronée. Nous entendons généralement par là les minutes, les heures, les jours et les années mais, au fond, ce n'est qu'une mesure issue du mouvement relatif de la Terre par rapport au Soleil. Nous savons tous néanmoins qu'une heure est loin d'être identique à l'autre : c'est ainsi qu'une heure de joie nous paraît courte, alors qu'une heure de douleur semble durer une éternité. De même, lors d'une expérience intense, le temps paraît s'envoler, tandis qu'il s'écoule lentement lors d'une attente désœuvrée. Le temps n'est donc pas ce qu'indiquent l'heure et le calendrier, mais bien la totalité de ce que nous sommes capables de vivre et d'enregistrer. Hugo von Hofmannsthal l'a fort bien exprimé en ces termes : *«La vie s'allonge pour celui qui la vit d'expérience.»*

Voilà pourquoi il est si important que nous ayons cette connaissance et que nous l'approfondissions à travers l'expérience faite dans l'au-delà par ceux qui étaient «morts» pendant un court laps de temps. Tel est en effet le premier pas vers la réponse à la question que nous nous posons sans cesse sur le sens de notre existence. Nous voyons ainsi que vivre équivaut à faire des expériences vécues !

En rapport avec ce qui précède, une autre expérience faite par les personnes qui se sont trouvées entre la vie et la mort revêt une importance toute particulière : elles ont ressenti que, dans l'au-delà, seul compte un tout autre genre de connaissance. Selon elles, il s'agissait là d'un savoir plus profond, un savoir qui vient en quelque sorte de «l'âme» et se rapporte aux causes et aux multiples aboutissements de ce qui «maintient l'univers assemblé au plus profond de lui-même». Acquérir ce genre de connaissance est déjà ici sur Terre ce qu'il y a de plus important ; c'est d'ailleurs ce que leur ont dit des êtres secourables de l'au-delà. Et cela devrait non seulement nous faire réfléchir mais nous secouer en nous faisant comprendre à

> *Seul ce qui est vraiment vécu et ressenti en intuition, donc ce qui touche notre esprit, pénètre en nous, et c'est uniquement cela que nous emmenons avec nous.*

quel point notre éducation est fausse et combien de temps précieux nous passons au cours de l'existence à apprendre des choses qui, au fond, n'ont aucune importance.

C'est effectivement ici que se trouve la ligne de démarcation entre l'intellect et l'esprit. Ce que nous apprenons est utile pour l'intellect et, étant enregistré dans les cellules de notre cerveau, reste sur cette Terre avec notre corps physique. Seul ce qui est vraiment vécu et ressenti en intuition, donc ce qui touche notre esprit, pénètre en nous, et c'est uniquement cela que nous emmenons avec nous. Cependant, l'ensemble de l'humanité souffre aujourd'hui du développement unilatéral de l'intellect. Nous réalisons de merveilleuses œuvres techniques mais la faculté de les maîtriser et de les utiliser de façon sensée nous fait défaut parce que, au lieu de nous laisser guider par l'esprit, nous avons abandonné la direction à son instrument terrestre : l'intellect. C'est ainsi que nous intervenons partout dans les processus naturels, sans être en mesure de prévoir les conséquences, puisque la véritable connaissance de la structure de cette Création nous fait défaut. Ce qui a été reconnu de façon bouleversante par le Faust de Goethe n'a malheureusement rien perdu de son actualité :

«Oh ! heureux celui qui peut encore espérer
Émerger de cet océan d'erreurs !

Ce qu'on ignore est précisément ce dont on a besoin,
Et ce qu'on sait, on ne peut l'utiliser.»

Tous ceux qui avaient quitté le monde terrestre ressentirent dans l'au-delà, alors qu'ils étaient temporairement sortis de leur corps physique, la présence affectueuse d'un être lumineux qui leur montra une vision rétrospective de leur vie sur Terre. Ils parvinrent ainsi à reconnaître par eux-mêmes ce qu'il y avait d'erroné dans leur vie, combien de souffrances ils avaient – bien souvent sans le savoir – infligées à autrui, et à quel point ils avaient inutilement gaspillé leur temps. Certains d'entre eux revinrent à la vie terrestre de très mauvaise grâce et adressèrent même d'amers reproches aux médecins qui les avaient sauvés. Mais tous ceux qui étaient ainsi allés «de l'autre côté» en revinrent avec la ferme intention de vivre dorénavant de façon autre et plus consciente.

Et c'est à mon avis la chose la plus importante que peuvent nous apporter ces rapports sur la vie après la mort. Cette rétrospective de la vie, cette prise de conscience et les conclusions qu'on en tire sont le signe évident d'une responsabilité dont l'esprit devient immédiatement conscient dès qu'il s'est défait des entraves d'ordre terrestre, étant donné que les considérations intellectuelles se rapportant aux contingences terrestres ont été résolues d'elles-mêmes, ainsi que tous les doutes. Mais la responsabilité ne saurait jamais être une fin en soi. Elle ne peut se développer qu'en rapport avec une mission. L'être humain a donc une mission. Mais qui nous dira laquelle ?

C'est précisément à ce point décisif que nous abandonnent les livres et les articles traitant de la vie avant cette vie, de la vie après notre mort, ou de parapsychologie et de thanatologie. Aucun d'entre eux ne peut rien dire de plus, si ce n'est que cette vie terrestre est un passage vers une existence d'une plus grande portée, et surtout que la mort n'en est pas la fin.

> *Ce n'est que lorsque vous aurez ouvert la porte sur la totalité de notre existence que votre regard portera au-delà de cette vie terrestre.*

Il est certain que c'est déjà très important. Vous n'ignorez pas que le simple fait de savoir que la vie continue peut un jour faciliter le détachement de l'âme d'avec le corps physique. Mais cela va encore plus loin. Ce n'est que lorsque vous aurez ouvert la porte sur la totalité de notre existence que votre regard portera au-delà de cette vie terrestre. Dès lors, vous ne vous sentirez plus retenus de tout votre être à la matière comme ceux qui s'y lient eux-mêmes en pensant qu'ils vivent uniquement sur Terre, et seulement une fois. Lors du décès, pareille attitude n'est pas sans conséquences. Par cette façon de s'accrocher à la Terre, le corps animique de matière subtile devient plus compact, et donc plus lourd, parce que ses désirs dirigés vers ce qui est matériel impliquent qu'il se trouve aussi près que possible de cette Terre.

Ce faisant, je vais déjà au-delà de ce que renferment les rapports réunis par le docteur Moody. Mais n'oublions pas que toutes ces personnes n'étaient pas réellement mortes : elles n'avaient quitté leur corps physique que provisoirement et étaient allées plus ou moins loin. Au moment de leur récit, elles étaient revenues dans leur corps même si certaines moururent quelque temps après. Lorsqu'elles firent les expériences qui ont été décrites, le cordon de liaison de matière subtile dont j'ai parlé précédemment n'était pas encore rompu. Toutes ces descriptions concernent donc un domaine intermédiaire, une transition de courte durée. Elles nous confirment certes l'existence d'un «au-delà» et d'une vie en dehors du plan matériel, mais elles ne nous disent rien au sujet de ce qui arrive à l'âme une fois qu'elle s'est définitivement séparée du corps physique, donc après la rupture du «cordon d'argent». Pour rendre mon exposé plus complet, il me faut à présent aller plus loin dans mes explications, sinon on pourrait avoir l'impression trompeuse que l'au-delà n'offre à chacun que des joies.

Après la séparation définitive, le destin de «l'âme» de matière subtile dépend en fait de la légèreté ou de la pesanteur du corps de matière subtile. Nous créons nous-mêmes cette différence de densité par l'orientation que nous donnons à nos désirs. Plus ils sont élevés et plus ils vont dans le sens spirituel véritable, plus notre corps animique s'en trouve allégé, mais plus ils sont orientés vers le bas, plus ce corps s'en trouve alourdi. Nous pouvons constamment en ressentir l'effet en nous : les idées tristes nous «abattent», les soucis matériels nous «accablent», si bien que nous avons «le cœur lourd». Par contre, de nobles intuitions et une atmosphère recueillie nous «élèvent», elles nous «donnent des ailes», et nous avons «le cœur léger». Ces expressions imagées ne sont pas de vaines illusions. Elles décrivent très exactement un processus auquel le corps de matière subtile prend part de façon déterminante, car toute émotion de ce genre qui vient de notre esprit, tout ce qui est ressenti intuitivement ne peut parvenir à se manifester dans le corps physique que par l'intermédiaire du corps de matière subtile.

Au moment où le cordon qui nous lie à notre corps terrestre est détaché, «l'âme» de matière subtile s'élève ou tombe suivant la loi de la pesanteur que nous connaissons tous et qui se manifeste très nettement en ce qui concerne les gaz. Toute substance terrestre qui passe à l'état gazeux, et devient par là plus fine et plus légère, vient en effet occuper la place qui lui revient selon la loi de la pesanteur. Et c'est aussi par cette loi – qui entraîne une séparation toute naturelle – que s'expliquent le ciel et l'enfer. Chaque âme aura ainsi autour d'elle, à l'endroit où la conduit automatiquement la loi de la pesanteur, des âmes qui ont la même densité qu'elle et qui, pour l'essentiel, sont par conséquent de genre identique. Le fait de se trouver réunies à leurs semblables peut être le ciel pour les unes et, tant qu'elles ne changent pas personnellement par une judicieuse orientation de leur vouloir, l'enfer pour les autres.

Mais une fois que nous aurons compris qu'après nous être détachés de notre corps terrestre, notre lieu de séjour est déterminé par la loi de la pesanteur, nous nous serons considérablement rapprochés de la réponse à la question concernant le sens de notre vie. Nous reconnaîtrons alors que ce corps physique qui est le nôtre est un manteau, un rempart protecteur qui, par son poids, telle une cloche à plongeur, nous maintient dans la matière dense de ce monde terrestre, permettant ainsi à des êtres humains de genres très différents de vivre ici-bas ensemble et à côté les uns des autres. En conséquence, la Terre est un réservoir, un point de rencontre pour tout ce qui, en d'autres circonstances, est contraint de rester séparé. Je serai amené à reparler de l'importance de ce fait.

Vous voyez donc que se faire une idée claire de la mort signifie en vérité s'occuper d'abord vraiment de la vie. Dag Hammerskjöld, le Secrétaire Général des Nations Unies aujourd'hui décédé, a exprimé cela de façon frappante en disant :

«Si l'on va au fond des choses, c'est notre conception de la mort qui décide de nos réponses à toutes les questions que pose la vie.»

Mais ces mots ne permettent-ils pas de reconnaître à quel point ceux qui réfléchissent sérieusement sont eux aussi désemparés ? Même si nous savons que cette vie ne s'insère qu'entre les pôles de ce qu'il y a «avant» et «après» la vie, c'est ici et maintenant que nous vivons, et c'est ici et maintenant que nous avons besoin de savoir où trouver les réponses aux questions que pose la vie.

Peut-être allez-vous demander : «À quoi servent alors les religions ?» Leurs enseignements étaient effectivement à l'origine, pour ceux qui les apportaient, destinés à être un soutien et à conduire vers la Vérité qui leur était commune à tous. Toutefois, puisque ces enseignements ne furent pas transmis par écrit, et cela dès le début, des malentendus s'y glissèrent. La faculté de compréhension de ceux qui ont retransmis quelque chose en a toujours modifié et limité le sens. C'est ainsi qu'au cours des siècles on a finalement de plus en plus adapté le contenu de ces enseignements aux désirs humains en en modifiant l'image pour qu'elle corresponde à ce que nous souhaitons.

À titre d'exemple, permettez-moi de vous rappeler que la réincarnation, cette doctrine qui est d'une importance décisive et selon laquelle on revient sur Terre en tant qu'être humain, cette doctrine qui est la seule à permettre aux esprits humains que nous sommes de comprendre l'Amour et la Justice de Dieu, ne fut supprimée de la foi chrétienne que lors du concile de Constantinople en 553, à la demande expresse de l'empereur Justinien 1er, et pour des raisons purement politiques.

À présent, réfléchissez à ce qui suit : si une autre décision avait été prise en ce temps-là, la réincarnation serait également une évidence pour le monde occidental. Il ne serait alors plus nécessaire de se heurter aux murs du doute et des préjugés pour libérer notre façon de voir de cet effroyable rétrécissement, un rétrécissement auquel on a abouti à la suite de cette funeste décision qui nous a privés de toute vue d'ensemble sur les rapports qui régissent notre existence entière.

Vous voyez donc à travers cet exemple que l'homme s'est arrogé le droit de décider de ce qui doit être vrai ou non ! D'où les absurdités et les lacunes qui empêchent tant de personnes qui réfléchissent d'accepter les dogmes dans leur totalité. Mais c'est dans son intégralité que la Vérité doit convaincre. Face à elle, il ne saurait y avoir la moindre réserve.

Ce qui nous est resté de tous les

> *Vous voyez donc à travers cet exemple que l'homme s'est arrogé le droit de décider de ce qui doit être vrai ou non !*

sages enseignements sont des admonestations et des règles de conduite. Ils ont pour la plupart une haute valeur morale, mais il leur manque la cohérence à partir de laquelle pourrait être présenté un tableau de l'ensemble de l'univers qui puisse répondre aux questions auxquelles nous ne pouvons tout simplement pas échapper, à savoir :

- *la question du sens de notre existence,*
- *la question de savoir comment nous pouvons atteindre ce but.*

Vous souriez peut-être en pensant : rien que ça ? Je suis parfaitement conscient que les plus illustres penseurs se sont depuis toujours creusé la tête à ce sujet. Mais qu'en a-t-il

> **Tout ce qui est vrai est simple à la base.**

résulté ? Le plus souvent, uniquement de multiples doctrines philosophiques contradictoires, davantage destinées à prouver les subtiles arguties intellectuelles de leur fondateur qu'à nous apporter un véritable soutien dans la vie. J'ose affirmer que les réponses ne sont nullement aussi difficiles à trouver, ni aussi embrouillées et compliquées qu'il y paraît. Tout ce qui est vrai est simple à la base. C'est précisément dans la simplicité, qui est une conséquence de la cohérence du tout, que repose la vraie grandeur.

Nous savons aujourd'hui - pour ne citer que quelques exemples - que l'incroyable diversité des plantes, des animaux et des êtres humains repose sur les quatre éléments génétiques de base qui sont identiques ; nous savons que les cellules des végétaux et des animaux, de même que celles du genre humain, sont constituées de la même façon et que chaque cellule, quel que soit l'organe dans lequel elle se trouve, renferme toujours le programme de construction de l'ensemble ; nous savons que les bras, les jambes, les ailes et les nageoires se sont formés sur le même modèle de base ; nous savons également que les forces qui ont des propriétés semblables et œuvrent au sein de l'atome sont les mêmes qu'entre les systèmes solaires. Cela ne nous montre-t-il pas que des lois homogènes sont à la base de tout et que seule la variation de leurs effets est à l'origine de cette multiplicité qui nous paraît si déconcertante ?

Nous avons donc besoin d'une vue d'ensemble. C'est pourquoi il me faut à nouveau parler du Message du Graal «Dans la Lumière de la Vérité». Vouloir expliquer ici le sens du Saint-Graal nous mènerait trop loin. La notion que nous en avons est liée à quelque chose d'élevé et de sacré. Cela devrait suffire à nous faire pressentir l'origine de l'appel secourable qui s'adresse par là à l'humanité et la grandeur de cette vision incommensurablement lointaine qui se trouve bien au-dessus de tout ce qui nous est offert dans d'autres descriptions de l'au-delà. Voilà pourquoi l'auteur a pu, entre autres, répondre à une question qui lui avait été posée à cet égard :

«Ce que je veux.. c'est combler les lacunes qui, dans les âmes humaines, sont autant de questions restées sans réponse jusqu'à ce jour et qui préoccupent celui qui réfléchit sérieusement, à condition qu'il cherche sincèrement la Vérité.»

Pour servir de base à mes explications sur la nature de la mort et le processus du trépas, j'ai utilisé certains passages du Message du Graal. Toutefois, ce Message renferme beaucoup plus de choses et nous en dit bien davantage. Il ne nous libère pas seulement de la peur de la mort mais, ce qui est plus important encore, de la peur de la vie. Si vous prenez un jour connaissance de cet ouvrage, vous ressentirez la justesse et la profondeur de la phrase suivante dont l'importance est incommensurable et qui donne une idée du contenu de cette œuvre :

«Par mon Message, je vous ouvre à présent le Livre de la Création !»

Vous comprendrez aisément qu'il m'est impossible, dans le cadre d'une conférence, de vous présenter une vue de l'univers d'une telle ampleur, qui montre en même temps notre chemin dans cette Création. Je dois donc continuer à me

> *Mais un simple regard dans cette Création ne nous dit-il pas que tout y a un sens ?*

limiter à ce qui me paraît être le plus important, c'est-à-dire à la question concernant le sens de notre vie. Comme ils ne peuvent trouver de réponse, nombreux sont ceux qui désespèrent et se réfugient dans des excès et dans le monde illusoire de la drogue ; ils adoptent les hérésies répandues par des charlatans religieux ou mettent en jeu sans réfléchir cette vie qui leur semble sans but et donc sans valeur... lorsqu'ils ne vont pas jusqu'à la rejeter.

Mais un simple regard dans cette Création ne nous dit-il pas que tout y a un sens ? L'écologie, cette science qui prône la coopération avec la nature, nous montre comment les choses s'engrènent les unes dans les autres, comment elles se complètent et se stimulent mutuellement. Par le jeu de cet échange dans le grand agencement de la Création, tout remplit le rôle qui lui est assigné. Comment pourrait-on dès lors supposer que l'être humain soit le seul à n'avoir aucun rôle à jouer dans cette structure organisée ?

Toute recherche sur le sens de la vie, à moins qu'elle ne parvienne à des conclusions par trop nihilistes, risque de s'occuper uniquement de notions abstraites. Mais nous voulons garder les pieds sur Terre. C'est indispensable parce que même ce qu'il y a de plus grand se reflète invariablement dans ce qui est petit, et tout ce qui nous entoure est le reflet de la grande vérité de cette Création. Vous aurez certainement déjà remarqué que j'ai toujours fait référence à des expériences que nous connaissons tous ou à des faits empruntés aux sciences physiques et naturelles. J'agis ainsi pour que vous vous rendiez compte que les processus que nous considérons ici se déroulent exactement selon les mêmes lois.

J'ai déjà précisé que le noyau de l'être humain, son moi véritable, est esprit. Or, dans le passage que je vous ai cité pour rendre cette notion plus claire, il est dit que le monde spirituel se situe plus haut et forme la partie supérieure qui est la plus légère de la Création. En conséquence, qu'avons-nous à faire sur Terre en tant que créatures spirituelles ?

L'insuffisance de nos institutions et de notre activité humaine porte déjà en elle la réponse : l'homme doit encore évoluer. Étant un germe d'esprit, son noyau spirituel est un grain de semence. Comme chaque grain de semence, il renferme toutes les possibilités inhérentes à son genre, mais il a besoin d'une maturation progressive pour les développer.

Que fait donc la nature pour qu'une graine mûrisse ? Elle lui fait prendre racine dans la terre. Les multiples forces qui agissent alors sur elle la stimulent et la renforcent.

Le Créateur a agi de même avec nous. Tels des grains de semence, nous sommes plongés dans ce monde terrestre ; seul notre genre spirituel nous distingue de la maturation des végétaux. Nous sommes dans la matière pour porter notre esprit à maturité. L'expérience de la vie terrestre avec la constante nécessité de surmonter les difficultés inhérentes à la matière – pensez au proverbe : «L'esprit est prompt, mais la chair est faible» – doit nous aider à reconnaître en nous la force de l'esprit et à la renforcer en vue d'une activité consciente. Étant donné que les lois de la nature sont foncièrement sem-blables, n'est-il pas significatif que nous ayons besoin d'un contact avec la matière pour mettre un pied devant l'autre afin d'avancer ! Comme je le disais précédemment, ce n'est qu'ici-bas, dans le manteau qu'est ce corps de matière compacte, que des êtres humains se trouvant à différents niveaux de maturité spirituelle peuvent vivre ensemble sur le même plan. Mais cela nous offre une multiplicité d'expériences, ce qui n'est possible nulle part ailleurs dans d'autres sphères. Or, c'est cette multiplicité d'expériences qui facilite la possibilité de mûrir et qui confère à la vie terrestre une telle importance.

Mais où doit en fin de compte nous conduire cette évolution ? La réponse découle de notre nature : elle doit nous conduire dans le royaume spirituel qui correspond à notre genre et que nous ne pouvons atteindre que lorsque nous sommes parvenus à notre pleine maturité.

Considérez maintenant la structure de la Création. Commençons par nous-mêmes. Les composantes de chaque cellule sont des «usines» indépendantes, mais elles font en même temps partie de l'ensemble de la cellule qui, à son tour, fait partie de la texture des tissus. Les tissus forment des organes. De leur côté, ces organes s'organisent en groupes d'organes qui constituent finalement le corps. L'être humain, pour sa part, est une créature autonome, tout en faisant partie d'une famille. Celle-ci appartient à un groupe qui, à travers le village, le peuple et la race, englobe en définitive l'humanité entière. Tout s'insère dans cet ordre hiérarchique qui, procédant par degrés dans le monde matériel, va des particules élémentaires, en passant par les atomes et les molécules, jusqu'aux corps célestes, aux systèmes solaires et aux galaxies.

Dans cette répartition, nous trouvons en effet la double fonction de tout ce qui existe, c'est-à-dire qu'un tout indépendant est en même temps une fraction d'un système plus important, ce qui a pour conséquence deux nécessités apparemment contradictoires : d'une part, la conscience de former soi-même un tout et, d'autre part, l'insertion, l'intégration de ce tout dans un groupe plus étendu. J'aimerais à ce sujet vous citer un passage d'un ouvrage du philosophe scientifique Arthur Koestler («L'homme – erreur de l'évolution», Éditions Scherz, Bern / Munich) :

«L'ensemble affirmation personnelle contre intégration est présent... dans la biologie, la psychologie, l'écologie, et partout où nous rencontrons des systèmes hiérarchiques complexes, donc pratiquement partout où porte notre regard. Que ce soit dans l'animal vivant ou dans la plante vivante, chaque composant doit imposer son individualité, tout comme dans l'ordre social, faute de quoi cet organisme perdrait sa structure et se décomposerait.

Toutefois, chaque composant doit en même temps se plier à l'exigence de l'ensemble. Dans un organisme sain et dans une société saine, les deux tendances se compensent à tous les niveaux de la hiérarchie.»

On trouve ici la confirmation de ce qui est expliqué dans le Message du Graal. Comme c'est le cas pour tout ce qui est d'ordre terrestre, il s'agit pour nous, à chaque étape de notre évolution spirituelle, de nous insérer dans la collectivité en tant que personnalités, avec les facultés de notre esprit que nous avons développées jusque-là. Plus d'un être humain s'imagine que le but final de notre chemin est le nirvana, c'est-à-dire la dissolution totale de notre moi dans une force qui englobe tout. L'idée erronée selon laquelle le moi serait une chose vouée à l'anéantissement a pu naître tout simplement parce que, sur ce bas plan terrestre, nous connaissons la plupart du temps ce moi uniquement en tant qu'égoisme. Mais comme l'a dit Koestler : *«Dans un organisme sain et dans une société saine, les deux tendances se compensent à tous les niveaux de la hiérarchie.»*

Ne faisons pas découler la mission qui nous incombe dans

l'ordre de la Création d'un état défectueux existant, mais d'un état sain devant exister. Il en résulte que le but de notre existence ne peut résider que dans le fait de coopérer au mécanisme de cette Création en tant qu'esprits parfaitement mûrs tout en restant personnels. Plus nous devenons conscients sur le chemin qui mène à ce but, plus il nous est facile de nous insérer dans l'ordre parfait de la Création et de reconnaître sans cesse davantage qu'y coopérer en servant apporte en même temps le plus grand profit personnel. Nous sommes alors prêts à participer librement à la réalisation de ce grand ordre parce que nous y trouvons notre propre bonheur.

Lorsque nous ressentons cela de façon juste, il ne peut que devenir évident pour nous qu'il existe rien de plus beau pour l'esprit humain que servir volontairement. «Volontairement» signifie pouvoir suivre librement son propre vouloir, ce qui revient à agir selon sa conviction la plus intime sans être entravé par des liens dont nous reparlerons ultérieurement. À lui seul, ce service volontaire libère la notion de service de toute trace de soumission servile à une volonté étrangère, il la libère d'une passivité spirituelle apparente. C'est un service conscient, à la fois joyeux et actif, un désir d'être utile en accomplissant un but qui dépasse de loin sa propre personne. Assurément, ce désir d'être utile est profondément ancré en chacun de nous. Pour les chômeurs comme pour les personnes âgées, le pire n'est-il pas ne plus avoir de tâche à remplir et de ne plus se sentir utile ? Cela montre à quel point notre esprit aspire à l'accomplissement de sa mission !

Le but qui est fixé à chacun de nous personnellement est donc de retourner, une fois que nous aurons mûri, là où se situe l'origine de notre genre : dans le monde élevé et lumineux de l'esprit. Mais il en résulte en même temps à tous les niveaux des devoirs envers la communauté car, étant pourvu d'un noyau de genre plus élevé, l'homme qui est pénétré du désir d'évoluer est déjà capable ici-bas de servir de maillon entre les mondes matériels et le royaume spirituel ; il est même appelé à l'être. Il est censé former le pont par lequel la beauté et l'harmonie de ce monde supérieur inondent le plan terrestre en l'élevant et en l'ennoblissant. L'art véritable, celui qui survit à toutes les époques, est un exemple de l'accomplissement de cette mission.

N'est-il pas frappant de constater que, sans se laisser troubler par toutes les bassesses et les choses horribles qu'au cours de son histoire l'homme infligea et inflige encore à l'homme, la notion d'humanité est encore liée pour nous à l'idée de l'amour du prochain, de la dignité et de la noblesse de cœur ? En fait, l'image du but plus élevé vers lequel l'être humain doit évoluer au cours de son existence est marquée dans son esprit à l'état de germe, et cela de façon indélébile.

Nous avons à présent trouvé la réponse à la question concernant le sens de notre vie. Toutefois, il reste encore à expliquer comment nous pouvons parvenir à sa réalisation.

C'est là en vérité que se trouve notre problème en tant qu'êtres humains, car nous ne savons que fort peu de choses sur cet ordre grandiose qui doit devenir pour nous une évidence qui nous remplit de joie. Et nous sommes seuls fautifs ! La Création elle-même est le langage par lequel le Créateur nous parle. Mais de même qu'un enfant doit apprendre le langage de ses parents pour savoir ce qu'ils attendent de lui et ce qu'il est censé faire, il faut que l'être humain se donne la peine de comprendre ce langage. Voilà pourquoi l'auteur du Message du Graal nous lance cet appel :

«Apprenez à connaître parfaitement la Création à travers ses lois ! Voilà le chemin qui monte vers la Lumière !» (Conférence «Que doit faire l'être humain pour entrer dans le Royaume de Dieu ?»)

Le seul fait de lever les yeux vers le ciel étoilé montre que c'est selon des lois immuables que les planètes décrivent leur orbite ; c'est d'ailleurs uniquement pour cette raison qu'il nous est possible de la calculer. Les lois qui régissent et maintiennent tout ce qui existe nous entourent de toute part, et c'est en elles que nous trouvons l'appui infaillible qui nous fait défaut partout ailleurs. Comment dès lors pourrions-nous encore douter de la justesse de la phrase du Message du Graal (également extraite de la conférence qui vient d'être citée) :

«Celui qui connaît la Création et son activité qui obéit aux lois ne tarde pas à y découvrir l'éminente Volonté de Dieu.»

Et c'est justement le fait de reconnaître cette Volonté qui est pour nous incontournable. Mais n'est-il pas étrange de constater que notre code pénal stipule : «Nul n'est censé ignorer la loi», ce qui veut dire que quiconque enfreint les règles établies doit dans tous les cas en subir les conséquences. Il est coupable de ne pas s'être donné la peine de connaître les lois.

Et même si, pour ne citer qu'un exemple, on délivre à

quelqu'un le permis de conduire, on lui demande de passer d'abord un examen afin de s'assurer qu'il connaît les lois en ce domaine, faute de quoi il représenterait un danger pour lui-même et pour les autres.

Comme nous sommes raisonnables et prévoyants en ces choses ! Ne nous vient-il pas à l'idée que le Créateur pourrait être aussi sage que nous et que, en ce qui concerne les lois de cette Création, le même principe pourrait également s'appliquer à nous ?

Mais comment en avons-nous tenu compte jusqu'alors ? Nous avons laissé aux scientifiques le soin de s'occuper de ces lois parce que nous les avons considérées comme des lois naturelles. Dans le meilleur des cas, elles nous ont intéressés dans la mesure où nous pouvions les utiliser sur le plan technique. Mais nous n'en avons pas tiré un enseignement personnel en tant que créatures spirituelles. C'est aussi l'avis du physicien Walter Heitler, professeur à l'université de Zurich, qui déclare : *«Il est temps de commencer à prendre conscience des questions métaphysiques qui se cachent derrière les lois de la nature».* («L'homme et la connaissance scientifique», Éditions Friedrich Vieweg et Fils, Braunschweig)

Rien qu'au cours des dernières décennies, le niveau de nos connaissances a considérablement augmenté. Des domaines spécialisés commencent à se rejoindre et l'on constate une grande unité. Ici ou là, nous trouvons déjà les ébauches d'une pensée universelle. On en vient de plus en plus à reconnaître la justesse de la phrase consignée depuis longtemps dans le Message du Graal : *«Tout dans la Création n'est qu'effets rétroactifs.»*

Les savants eux-mêmes parlent maintenant d'un univers «mis en réseau». Nous ne pouvons continuer à agir comme si ce réseau ne nous concernait pas. Nous y sommes insérés, non seulement sur le plan physique et corporel mais aussi sur le plan spirituel en tant qu'êtres humains, étant donné que les lois de la Création qui œuvrent sans interruption ne font pas exception pour nous. Seuls les effets de ces lois touchent le plan terrestre, puis le plan de matière subtile ou le plan spirituel, mais toujours d'une façon qui correspond au genre en question.

Nous avons connaissance de cette unité depuis longtemps, mais nous l'avons tout simplement oubliée. Vous connaissez tous, assurément, les adages : «On récolte ce que l'on sème» ou : «Comme on fait son lit, on se couche», ou encore : «Qui sème le vent récolte la tempête». Il ne s'agit là de rien d'autre que d'une expérience brièvement exprimée, que l'homme a faite par rapport à la loi de la réciprocité des effets qui est l'une des lois fondamentales les plus importantes de la Création.

Personne ne saurait contester que les images contenues dans ces proverbes ont aussi un sens figuré et que par conséquent des faits d'ordre matériel et spirituel ont été consciemment mis sur le même plan.

Ce n'est que depuis quelques décennies que l'on a reconnu que cette conformité aux lois a même une importance bien plus considérable. En effet, on trouve là aussi un facteur d'autorégulation qui, en fin de compte, veille au maintien d'un ordre immuable.

Norbert Wiener, qui fut le premier à rendre possible l'application technique de ce principe, le désigna du nom de «cybernétique», mot dérivé du grec «kubernêtikê», qui signifie approximativement «pilote». Il était évident pour lui que les machines qu'il avait contribué à mettre au point – les ordinateurs – reproduisaient les activités qui sont le propre des organismes vivants ; c'est d'ailleurs pour cette raison qu'il intitula son traité : «La cybernétique ou le transfert d'informations dans les organismes vivants et les machines». Mais il n'avait pas pensé que tout ce qui se déroule au sein des organismes vivants est parfaitement conforme aux lois de la vie.

Or, que pourrait-on trouver de plus vivant que la Création dans sa totalité, qui depuis ce qu'il y a de plus grand jusqu'à ce qu'il y a de plus petit n'est que mouvement incessant ? C'est ainsi que l'on est peu à peu parvenu à reconnaître que ces processus de pilotage automatique se rencontrent partout et sont présents non seulement dans l'ensemble de l'activité de la nature mais nécessairement aussi dans les installations humaines ; ils déterminent même le cours de l'histoire et celui de l'économie, les structures sociales, les distractions, la langue, la législation et les relations entre les peuples. Bref, il n'est rien qui ne dépende de l'activité de cette régulation automatique, tout simplement parce que tout est issu de l'activité de cette Création et ne peut subsister que par elle. Nous avons donc devant nous une loi fondamentale relative à l'ensemble du mécanisme de la Création et nous disposons par là d'une excellente possibilité d'illustrer ce que signifie le fait d'apprendre à connaître la Création dans ses lois. Vous verrez combien de questions fondamentales trouvent ainsi leur réponse.

Nous utilisons les lois de la cybernétique dans toutes sortes d'installations automatiques et dans les ordinateurs dont nous ne pourrions plus guère nous passer, étant donné notre mode de vie actuel. Point n'est besoin d'être technicien pour comprendre le principe qui les régit. Que vous régliez en effet votre réfrigérateur ou votre chauffage central à la température souhaitée, votre lave-linge ou bien votre lave-vaisselle sur un programme précis, ou encore qu'un cerveau électronique élabore une foule de données en vue de garantir un but défini à l'avance, tout n'est qu'une question d'ordre de grandeur, mais le principe reste le même. Vous savez pertinemment qu'il faut «programmer» de telles installations.

Dans tous les cas, la nature même du principe consiste à réaliser ce «programme» a) de façon absolue et b) au mieux, en faisant en sorte que toute influence venant perturber le déroulement du programme en question déclenche automatiquement une réaction qui élimine à son tour la perturbation.

Et maintenant, reportons à l'ensemble de la Création ce principe qui, comme nous l'avons dit, se rencontre dans toutes sortes de processus et qu'en fait nous nous sommes contentés d'imiter sur le plan technique. Les lois naturelles, que nous ne faisons que découvrir et dont nous prenons connaissance mais que nous ne pouvons modifier, ne nous apparaissent-elles pas comme le «programme» selon lequel se déroule tout ce qui s'accomplit dans le mécanisme de cette Création ?

Mais d'où vient ce programme ? Il n'est certes pas né tout seul ! Comme nous le savons, il doit forcément y avoir un «programmeur». Le Créateur ne doit-Il pas nous apparaître comme étant Celui qui a conçu ce programme et l'a introduit dans la Création ? Or, si quelqu'un programme un ordinateur, il le fait selon sa volonté, c'est-à-dire qu'il insère sa volonté dans la machine sous forme de «programme». Le mécanisme de l'univers, qui fonctionne selon les mêmes lois de contrôle automatique, porte par conséquent en lui la

Volonté de Dieu ; c'est *Sa* Volonté qui se manifeste à nous en tant que lois de la nature !

N'oubliez pas qu'il est dans la nature même du dispositif de contrôle de garantir que le but sera atteint au mieux. Si nous y parvenons avec un ordinateur, en transposant cela à l'échelle universelle, ne nous faut-il pas à plus forte raison en conclure que c'était également possible pour le Créateur et que par conséquent les lois de la Création, ou lois de la nature, veillent à ce que les choses se passent au mieux ? Voilà qui nous ouvre des perspectives entièrement nouvelles, car ce qu'il y a de mieux, ce qui est optimal, est effectivement le summum de ce que l'on peut atteindre et, en conséquence, la perfection. La Perfection de Dieu se manifeste donc dans les lois naturelles. C'est d'ailleurs ce qui explique leur immuabilité, car ce qui est parfait ne peut plus être amélioré. Toute modification ne pourrait qu'être préjudiciable. Voilà pourquoi nous subissons partout des échecs là où nous voulons corriger cette perfection.

Cela ne nous montre-t-il pas aussi combien l'image que nous avions jusqu'à présent de Dieu était fausse ? L'image du «vieillard» se laissant émouvoir par nos prières et nos supplications en nous accordant sa bienveillante indulgence n'a plus cours aujourd'hui. L'image que l'univers donne du Créateur est incomparablement plus grande, plus puissante et plus sublime que ce qu'a pu inventer notre petite intelligence humaine. Dès lors, la Toute-Puissance de Dieu ne réside pas dans le fait qu'Il peut agir comme bon lui semble, ce qui est lié pour nous à l'idée de puissance. Il s'agit ici de la Puissance qui englobe tout et à laquelle rien ne peut s'opposer de façon durable en raison de son immuable Perfection.

La loi fondamentale du contrôle automatique qui œuvre à l'échelle de la Création et cherche à remédier à toute perturbation explique aussi la notion du destin qui se répercute sur nous et compense ce dont nous avons nous-mêmes été la cause. Là encore, nous voyons que l'ignorance des lois ne nous protège pas des conséquences. C'est uniquement de cette façon qu'il nous sera possible de reconnaître les fautes que nous n'avons pas faites consciemment.

Au cours de ces réflexions, nous n'avons nul besoin de rester dans l'abstraction, les exemples ne manquent pas dans les processus naturels. Supposons que vous décidiez de courir un 100 mètres, vous ne pourriez qu'être essoufflés en arrivant au but. À la suite de l'effort fourni pendant la course, vous avez réduit l'arrivée d'air indispensable au bon fonctionnement de votre corps, si bien que ce dernier exige une compensation automatique. Il vous suffit d'élargir cet exemple et de le transposer dans le cadre des lois de contrôle qui œuvrent dans la Création entière pour trouver la réponse à la question du libre arbitre de l'être humain et de son destin.

Comme le montrent ces lois de contrôle, nous sommes effectivement libres lors de chaque décision, mais nous restons liés à ses conséquences. Étant donné qu'au cours de notre existence – c'est intentionnellement que je ne parle pas ici de cette seule vie terrestre – nous avons pris d'innombrables décisions qui n'eurent pas toujours des conséquences aussi immédiates que dans l'exemple que nous venons de citer, nous nous voyons souvent liés et entravés sous l'inévitable pression des chocs en retour. Nous doutons alors de notre libre arbitre, et nous parlons de dépendance, de destin. Mais ce qui nous paraît être le destin en raison de son caractère inéluctable n'est rien d'autre que l'effet rétroactif de ce que nous ressentons intuitivement, de ce que nous pensons et de ce que nous faisons : c'est ce qui nous est «destiné» pour compenser le désordre que nous avons apporté dans le grand ordre de la Création. Cela se passe comme pour une ficelle dont on ne peut défaire les nœuds qu'en la tirant à nouveau à travers la boucle qui a formé ce même nœud. Voilà pourquoi le suicide n'est jamais une issue aux difficultés existantes, puisqu'il ne délivre pas l'intéressé de l'obligation de défaire les nœuds qu'il a lui-même noués et qu'il le charge même d'une faute supplémentaire : celle d'avoir méprisé le cadeau qui consiste à être autorisé à mûrir.

Ce qui nous semble être un châtiment a finalement un sens beaucoup plus profond : c'est un appel à notre discernement afin de nous ramener sur le seul chemin qui soit juste pour nous et que, à notre détriment, nous allions quitter. Il s'agit donc là d'une impulsion qui nous est donnée avec sollicitude pour nous inciter à rectifier notre orientation. Dans ce choc en retour qui apporte à chacun ce qu'il a lui-même déclenché se trouvent ainsi, inséparablement unis, la Justice et l'Amour de Dieu. Dès le commencement, Il a agi en mettant Sa Volonté dans cette Création sous forme de lois qui prévoient ce qu'il y a de mieux pour nous. C'est à nous qu'il appartient de tirer enfin le meilleur parti des possibilités qui nous sont ainsi octroyées, car c'est *en cela* que repose la Grâce de Dieu, qui est toujours présente et qu'il nous faut simplement saisir.

Le Message du Graal «Dans la Lumière de la Vérité» décrit et explique précisément l'activité autoactive et immuable des lois de la Création, les aides qui sont toujours disponibles pour nous, mais aussi les nécessités qui en découlent. La découverte de la technique de contrôle qu'est la cybernétique a confirmé la justesse de ces explications, et par là même le sens de la phrase : *«Seul est libre celui qui vit dans les Lois de Dieu !»* (Message du Graal «Soumission»)

Il est à présent devenu clair pour nous que seul celui qui vit dans les Lois de Dieu peut, comme nous l'apprend la loi autoactive de la réciprocité des effets, éviter de douloureux chocs en retour qui restreignent son libre arbitre ; il peut alors prendre entièrement part à la progression incluse dans les Lois de Dieu.

Voilà pourquoi Jésus qui, par Son origine, était Lui-même une partie de la Vérité qui repose dans les lois immuables a pu dire : «Je *suis* la Vérité et la Vie». Mais Il a dit également : «Qui n'est pas avec moi est contre moi» parce que tout ce qui ne s'insère pas dans les lois perturbe le «déroulement du programme» de cette Création, un programme qui est en mouvement constant.

C'est ainsi que ces lois nous permettent aussi de reconnaître que nous n'avons pas le droit d'être indéfiniment des perturbateurs de la grande harmonie de la Création, des perturbateurs qui refusent de comprendre. Ce qui se passe sur le plan écologique, qui obéit évidemment aux mêmes lois, montre clairement que lorsqu'une fausse orientation a été prise, elle s'accélère et finit par atteindre un point à partir duquel la catastrophe est inévitable. Il y a déjà plusieurs années, des savants faisant autorité ont attiré l'attention sur ce point dans leur rapport au «Club de Rome».

Et comment procédons-nous dans notre système d'éducation ? Nous permettons à un élève qui n'est pas parvenu au niveau désiré de passer certains examens et même de redoubler sa classe. Mais cela s'arrête forcément un jour pour celui qui ne sait pas tirer profit de cette possibilité. Le but préalablement fixé doit être atteint en un temps donné. S'il en était autrement, cela

> *Ne tenons donc pas le Créateur pour moins sage que nous, qui ne pouvons que reproduire ce qui existe déjà dans la Création !*

reviendrait uniquement à encourager la paresse et le refus d'apprendre. Ne tenons donc pas le Créateur pour moins sage que nous, qui ne pouvons que reproduire ce qui existe déjà dans la Création ! Par la réincarnation, ou renaissance, la possibilité nous est offerte, à nous aussi, de compenser les fautes que nous avons commises sur le plan matériel et qui doivent par conséquent être dénouées sur ce plan.

Mentionnons en passant que le fait que nous ne puissions consciemment nous souvenir de nos vies précédentes ne prouve absolument rien, car le souvenir conscient est constitué par les protéines emmagasinées dans notre cerveau qui, lui, se décompose à la mort du corps physique. Mais ce que nous avons vécu par l'expérience, ce qui nous a formés, a pénétré dans notre esprit et constitue nos tendances, nos capacités, bref, la personnalité avec laquelle nous entrons dans une vie nouvelle, ou plus exactement avec laquelle nous poursuivons notre existence.

Après cette courte digression, revenons sur ce qui a été dit précédemment. Tout porte à croire que nous ne disposons pas d'un temps illimité pour acquérir le discernement. Si nous considérons les choses de ce point de vue, il est significatif que la session du «Club de Rome», qui s'est tenue à Salzbourg en Juin 1979, se soit penchée sur la nécessité d'étudier les tenants et les aboutissants à l'échelle de la Création, faute de quoi la survivance de l'humanité semblerait compromise. C'est ainsi que se ferme un immense cycle et que l'au-delà et l'en-deçà s'unissent en un même appel. Or, c'est justement cet avertissement qui a été donné à ceux qui ont déjà jeté un bref regard dans l'au-delà ; il coïncide avec la phrase du Message du Graal déjà citée : *«Apprenez à connaître parfaitement la Création à travers les lois !»*

Ces lois ne sont absolument pas un système de pensée reposant sur de subtiles arguties, comme celui que nous offrent la théologie et la philosophie, elles sont une réalité vivante, immuable et indiscutable. C'est à travers elles, et uniquement à travers elles, que ce que l'on a coutume de désigner comme étant «la foi» – ce mot qui peut être interprété de deux façons – se trouve journellement confirmé dans les lois de cette Création. Ainsi, dès la première phrase du Message du Graal, nous trouvons les mots qui promettent à tout chercheur ce qui peut lui advenir de mieux : *«Le bandeau tombe, et la foi devient conviction.»*

Il s'agit là d'un ton tout à fait nouveau en matière de foi, un ton auquel, précisément à l'époque actuelle où la confusion causée par notre manque de compréhension se retourne partout contre nous, nous devrions prêter une oreille particulièrement attentive. Comment sinon pourrions-nous encore nous en sortir ?

Le caractère inéluctable des lois autoactives peut paraître dur à certains, voire effrayant parce que, dans notre intérêt, elles sont exigeantes. Mais qui ignore la sagesse du proverbe : «Les meules de Dieu moulent lentement mais sûrement» ?

Les «meules de Dieu» ne sont pourtant rien d'autre que la loi naturelle de la réciprocité des effets ! Et la certitude que cette loi s'accomplira témoigne de son côté inéluctable.

L'invention des techniques de contrôle et leur transposition à l'ensemble de la Création ne font donc que confirmer, sous une forme moderne et plus technique, un très ancien savoir empirique. Cela nous montre que cette transposition à ce qui dépasse le plan matériel est non seulement permise mais parfaitement juste.

Toutefois, cette dureté pourtant empreinte d'amour est en même temps un critère pour juger du sérieux que vous apportez vous-mêmes à ces questions. Il s'agit ici de décider si vous voulez former Dieu à votre image ou chercher à savoir quelle est Sa Volonté. C'est pourquoi l'auteur du Message du Graal a écrit dans sa préface : *«Je ne m'adresse qu'à ceux qui cherchent sérieusement.»*

Il m'est permis de penser que vous, qui avez suivi mes explications sur les questions fondamentales de notre existence, vous cherchez sérieusement.

Je me doute qu'à présent vous avez encore maintes questions à poser. Au cours de cette conférence, je n'en ai abordé que quelques-unes. Mais le Message du Graal vous offre de bien meilleures réponses que les miennes. C'est une œuvre – j'aimerais le souligner expressément, ayant été maintes fois interrogé à ce sujet – qui, malgré une apparente ressemblance avec les vérités *fondamentales* d'autres enseignements, ne saurait être assimilée à aucun d'entre eux du seul fait que l'explication des tenants et aboutissants est incomparablement plus étendue. Ne vous imaginez donc pas pouvoir commencer votre lecture n'importe où parce que vous croyez peut-être avoir déjà entendu telle ou telle explication. Il y a dans ce livre une construction qui vous conduit imperceptiblement, et depuis le début, à une nouvelle façon de voir et de faire des expériences vécues.

Vous vous demandez sans doute pourquoi je renvoie constamment au Message du Graal. Je vais franchement vous en donner la raison, car il ne faut pas que vous pensiez avoir affaire à une démarche publicitaire. Tant dans ma vie privée que dans ma profession d'avocat, je vois combien les gens sont désemparés face aux questions essentielles de l'existence et combien ils se torturent pour trouver l'explication de telle ou telle chose, avant de finir par se résigner en pensant qu'il est voulu que l'on ne puisse pas trouver de réponse satisfaisante. Vous avez probablement fait vous-mêmes des expériences de ce genre. Voilà pourquoi, ayant eu le bonheur inestimable, en tant que chercheur, de rencontrer ce Message, je considère tout simplement qu'il est de mon devoir d'être humain d'y rendre à mon tour attentifs d'autres chercheurs.

C'est en effet là que se trouve, dans un langage clair, pénétrant et compréhensible à chacun, l'aide dont nous avons besoin dans la détresse, ainsi que la réponse à nos questions. Je puis néanmoins vous assurer que personne – ni moi ni quelqu'un d'autre – ne tirera un bénéfice quelconque du fait que vous rendiez acquéreurs de cette œuvre et que vous la lisiez ou non. Il ne saurait davantage être question de vous gagner à une secte car, aujourd'hui plus que jamais, il faut malheureusement insister sur ce point. Vous seuls tirerez profit de cette œuvre. Et ce n'est que lorsque vous aurez reconnu sa valeur que – dans la mesure où vous le souhaiteriez – des personnes qui ont suivi un chemin identique au vôtre seront prêtes à vous aider à approfondir votre compréhension.

En tout cas, il y a encore une chose que vous voudriez m'entendre dire : le nom de l'auteur, qui n'a pas été mentionné jusqu'à présent. Il s'appelait Oscar Ernst Bernhardt, mais il écrivit son œuvre sous le nom de Abd-ru-shin. C'est intentionnellement que je n'ai pas mentionné ce nom jusqu'à présent car, convenez-en, à quoi cela vous sert-il de le savoir ? Jadis, lors de Sa pérégrination sur cette Terre, Jésus n'avait pour toute légitimation que Sa Parole, c'est-à-dire le Message qu'Il apportait. Étant le fils d'un simple charpentier de Nazareth, Il ne pouvait se réclamer de sa notoriété. Ceux qui Le suivirent devaient Le reconnaître à la valeur de Son enseignement. C'est pourquoi l'auteur de cet ouvrage a écrit lui aussi : *«Ne considérez pas le Messager, mais la Parole !»*

Si nous y réfléchissons bien, énormément de choses se trouvent dans cette phrase. Elle se distingue des vagues tentatives qui sont faites sous prétexte d'éclaircissement spirituel et qui sont si nombreuses de nos jours. Un vrai guide ne fera jamais de sa personne le centre de son enseignement. Pour le moment, je ne voudrais pas vous en dire plus sur le sujet, car je vous priverais irrémédiablement de la bienheureuse expérience qui vous attend lors d'une lecture sérieuse de cette œuvre.

En lisant cet ouvrage, vous vous engagez sur le chemin d'une vie consciente. En effet, tant que nous ne connaissons pas notre genre spirituel ainsi que notre chemin et notre but, aussi instruits que nous soyons sur le plan intellectuel, nous restons en vérité aveugles et sourds. Inconscients de notre propre force et de ses rapports avec les forces de cette Création, nous avançons, hébétés, physiquement vivants il est vrai, mais spirituellement morts ! Or, ce n'est qu'en comprenant que nous sommes insérés dans l'activité de la Création que nous commençons à vivre, et que tout se met à vivre de façon visible autour de nous, car ainsi se réalise la Parole du Message du Graal :

«Si vous regardez autour de vous avec lucidité, vous pourrez immédiatement reconnaître que mon Message est véritablement la Parole de Vérité. Toute votre existence terrestre jusqu'à ce jour de même que l'expérience nouvelle de chaque instant, sur le plan extérieur comme sur le plan intérieur, deviennent en effet parfaitement claires pour vous dès que vous les considérez à la lumière de mon Message.» (Conférence «Vue d'ensemble de la Création»)

J'espère avoir réussi à vous ouvrir les yeux au moins sur une partie, à vrai dire petite mais extrêmement importante, de la vie qui anime cette Création. J'espère également vous avoir fait entrevoir la portée de notre existence. Nous avons en fait commencé par la mort, mais c'est par la vie que nous terminerons, une vie plus consciente, du moins je l'espère. J'aimerais prendre congé de vous en citant la phrase par laquelle celui qui nous apporté le Message du Graal conclut sa préface. C'est la phrase qui englobe la totalité de notre mission d'être humain et qui porte bien loin au-delà de la vie terrestre. Mon vœu est qu'elle vous accompagne sur votre chemin : *«Soyez des êtres vivants dans la merveilleuse Création de votre Dieu !»*

Dans la Lumière de la Vérité

Message du Graal de Abd-ru-shin

Un savoir nécessaire pour l'époque actuelle

Parmi tous les ouvrages traitant de sujets d'ordre spirituel, cette oeuvre tient une place toute particulière. Elle apporte la connaissance des lois régissant la Création entière et elle révèle au lecteur la connaissance profonde des rapports entre tout ce qui existe.

L'auteur écrit: «... **C**e que je veux, c'est combler les lacunes qui, dans les âmes humaines, sont autant de questions restées sans réponse jusqu'à ce jour et qui tourmentent chaque penseur sérieux s'il cherche sincèrement la Vérité.»

Tome I	ISBN 2-900811-31-7	226 pages
Tome II	ISBN 2-900811-21-X	472 pages
Tome III	ISBN 2-900811-26-0	500 pages

Pour tous renseignements s'adresser aux:

PUBLICATIONS DU GRAAL
C.P. 412
Chénéville, Québec.
J0V-1E0
Tel./Fax: 1-800-672-2898
Courriel: ventes@graal.ca
Site web: www.graal.ca

Coffret, Tome I, II, I
ISBN 2-900811-38-4

Traduit en 14 langues et distribué dans 80 pays.

AGMV Marquis

MEMBRE DU GROUPE SCABRINI

Québec, Canada
2001